MI VIDA DE ABEJA

Kirsten Hall   Isabelle Arsenault

LIBROS DEL ZORRO ROJO

Un prado.
Un árbol.
Trepa a sus ramas y observa...

A tu alrededor, hasta donde alcanza la vista,
crecen libres y silvestres

LAS FLORES.

De pronto...
¡ZZZZUM!
¿Qué será?

¿No lo oyes?

Está ahí.

A tu lado,
se acerca,
agita sus alas
y zumba...

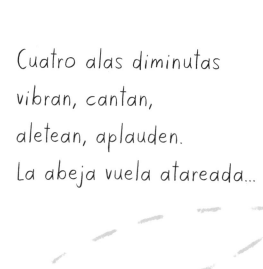

Cuatro alas diminutas
vibran, cantan,
aletean, aplauden.
La abeja vuela atareada...

LAP,
LAP
LAP,

TAP,
TAP,
TAP,

busca,
rastrea...

¡ESTA
ES!

Esta es la flor que ha escogido la abeja.
Esta es la flor que guarda polen en su interior.
Esta es la flor de colores brillantes
que atrae a la abeja con su dulce aroma.

¡Qué sed da
viajar sin parar!
Azucarado,
jugoso...

NÉCTAR.

La abeja se posa,
absorbe y derrama;

ahora vuela, se detiene.

Ahora recolecta

y vuelve a la tarea...

Más polen,
más néctar.
Es hora
de merendar.
¡ZUM, ZUM!

¡ZUM, ZUM! Clama una multitud.
Es el bullicioso enjambre,
donde las abejas

aletean,
vuelan,
aterrizan,
curiosean...

TODO ESTE NÉCTAR
ES NUESTRO.
¡NUESTRO!

Visitan las flores
durante horas.
Luego...

las abejas sus saquitos
de polen

cargan,
        intercambian
                y vuelta a empezar.

ZUUM, ¡se persiguen!
ZUUM, ¡se atrapan!
ZUUM, ¡se acercan!
y encuentran el rumbo...
Luego...

¡ZUUUUUUUUUUM!

Allí está, frente a nosotras...

¡NUESTRA COLMENA!
¡NUESTRA COLMENA!
¡NUESTRO REFUGIO!

Mirad cómo, al llegar,
la colmena vibra,
llena de vida.

¡ZUM!

La danza comienza.
Una vuelta
y un meneo.

La danza indica la distancia.
Se zarandea y da vueltas.

Continúa en fila y, al final,
un giro en forma de ocho.

AHORA YA SABEMOS
DÓNDE IR.
¡GRACIAS POR COMPARTIR
TU MARAVILLOSO SECRETO!
(¡Y POR EL ESPECTÁCULO!)

Nuevas exploradoras
van a cumplir su misión;
mientras, las obreras,
¡qué gran deleite!

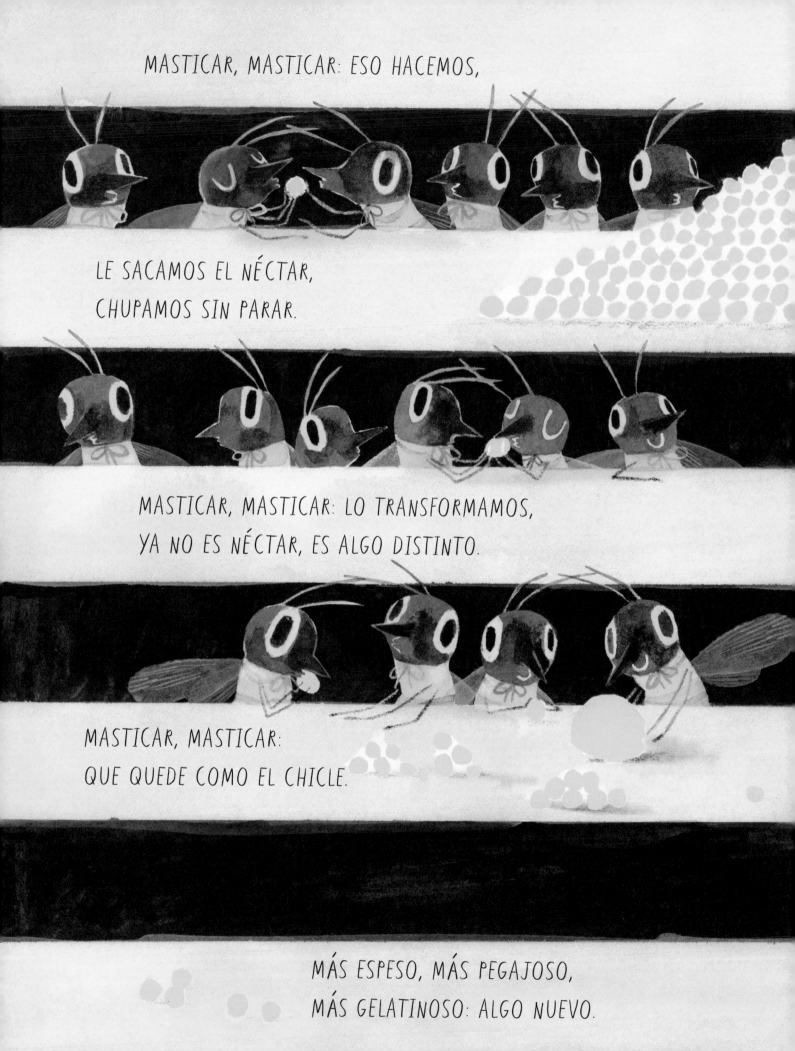

MASTICAR, MASTICAR: ESO HACEMOS,

LE SACAMOS EL NÉCTAR,
CHUPAMOS SIN PARAR.

MASTICAR, MASTICAR: LO TRANSFORMAMOS,
YA NO ES NÉCTAR, ES ALGO DISTINTO.

MASTICAR, MASTICAR:
QUE QUEDE COMO EL CHICLE.

MÁS ESPESO, MÁS PEGAJOSO,
MÁS GELATINOSO: ALGO NUEVO.

MASTICA, MASTICA, MASTICA.
YA ESTÁ CASI.

En casa hay mucho
por hacer aún.

Rellenar
las celdas de miel.
Tapar los huecos con
pedazos de néctar.
Luego debemos ventilar,
por eso movemos
nuestras alas deprisa,
deprisa...

¡ZZZZZZ!
A pesar de su
tamaño,
nuestras alas
son fuertes.

¡ZZZZZZ!
El néctar se enfría
y se seca.

Ahora es mucho más espeso...
Las alas se mueven veloces...

¡LA MIEL!
- - - - -
Por fin.

Ahora
se guarda en lugar
seguro...

Las celdas,
hasta arriba
de miel.
El oro líquido está
bien tapado.

Y solo cuando
escasee el polen
y tengamos hambre
abriremos
la tapa.

Fuera de la colmena los días son más cortos,
el viento más frío y el sol más suave.
Menos huevos por nacer y cuidar...

Cuando la reina está ociosa,
la colmena es más silenciosa.
Las abejas se calman:
son días de sosiego.

¡POP!
Un brote.

¡POP!
Una gota.

La nieve cubre a las criaturas,
y, en el interior de la colmena,
las abejas saben qué hacer.

¡HUM!
¡Es primavera!
¡HUM!
¡La vida renace!

La pequeña abeja,
en el árbol,
sabe qué hacer.

¡Míralo!
¡ZZZZZZ!

Un prado.
Un árbol.
Trepa a sus ramas
y observa...

Desde la lejana colmena
nos regala
su dulce miel...

LA ABEJA.

Querido lector,

escribí esta historia por una razón importante: la abeja es una de las criaturas más maravillosas de nuestro mundo y, lamentablemente, está en peligro. Mi deseo es que tú, que has leído este libro, te conviertas en un defensor de las abejas y te unas a mí en la lucha por su futuro.

LAS ABEJAS SON CRIATURAS HERMOSAS

¡Se parecen mucho a nosotros! Viven en familias (llamadas «colonias») y en hogares (llamados «colmenas»). Trabajan duro y cada una tiene una gran responsabilidad hacia el resto del grupo. Las abejas vuelan, zumban, recolectan el néctar y danzan, e incluso se acurrucan cuando hace frío. Y aunque no deberíamos acercarnos demasiado a las abejas melíferas —¡ojo, pueden picar!—, me gustaría que descubrieras de cerca todas las cosas maravillosas que hacen.

¿QUÉ SERÍA DEL MUNDO SIN LAS ABEJAS?

Sin abejas, ¡tendríamos un grave problema! Las abejas vuelan de flor en flor, buscando y recogiendo néctar. En su viaje propagan el polen; gracias a ello se forman semillas; de las semillas crecen nuevas plantas; y de estas plantas depende nuestro alimento, nuestra ropa y nuestra vida.

¿CÓMO PUEDES AYUDAR A LAS ABEJAS?

Aquí te propongo cinco formas sencillas de ayudar a las abejas a sobrevivir:

1. Planta flores, de muchos tipos, juntas o separadas. Las favoritas de las abejas son la lavanda, la lila, la menta, la amapola, la flor de calabaza, el romero, la salvia, el girasol y el tomate. Evita el uso de productos químicos y pesticidas: son dañinos para las abejas y los culpables de que su existencia peligre.

2. ¡Vivan las malezas y las plantas silvestres! Algunas personas piensan que no arrancar las malas hierbas significa tener descuidado el jardín. Pero a las abejas les encantan. Las malas hierbas les sirven de refugio, y las flores silvestres son una de sus fuentes de alimento más importantes.

3. Compra miel de un apicultor local. La miel se encuentra fácilmente en los mercados y las tiendas de alimentación. Busca aquella que se ha elaborado más cerca de tu casa. La miel está repleta de nutrientes. Se usa para hornear pasteles, y si no tienes tiempo de prepararlo, ¡cómete una cucharada de miel!

4. ¡No temas a las abejas! Las abejas quieren néctar y polen, pero no desean picarte o lastimarte. Cuando las abejas vuelan cerca, quédate quieto ¡y mantén la calma! Las abejas, en realidad, pueden «oler» el miedo. Si no te mueves y las dejas en paz, lo más probable es que decidan simplemente seguir su vuelo. Además, evita acercarte a las colmenas. Las abejas son territoriales, pero si las respetas, ellas te respetarán.

5. ¡Di a los políticos que amas a las abejas! Las personas que hacen las leyes sobre lo que podemos y no podemos hacer necesitan trabajar con firmeza para proteger a las abejas. Sin leyes que preserven el medio ambiente, las abejas están en peligro.

Escribe una carta. Diles que amas a las abejas y por qué son importantes. Haz dibujos, usa tu voz. Si trabajamos juntos, tal vez podamos salvar a las abejas.

Debes estar orgulloso: ya sabes mucho sobre las abejas, y la información es poder. ¡Únete a los defensores de las abejas!

Un abrazo, Kirsten

Este libro es para todos los que aman
y aprecian los seres vivos de nuestro mundo.
Con agradecimiento especial a Ann Bobco
y Emma Ledbetter.

Título original: *The Honeybee*

© 2018, del texto: Kirsten Hall
© 2018, de las ilustraciones: Isabelle Arsenault
Publicado originalmente por Atheneum Books for Young Readers,
Simon & Schuster Children's Publishing Division, Nueva York.

© 2019, Libros del Zorro Rojo
Barcelona - Buenos Aires - Ciudad de México
www.librosdelzorrorojo.com

Dirección editorial: Fernando Diego García
Dirección de arte: Sebastián García Schnetzer
Traducción y edición: Estrella B. del Castillo
Corrección: Sara Díez Santidrián

ISBN: 978-84-948848-9-4   Depósito legal: B-24439-2018

Primera edición: febrero de 2019

Impreso en China